Publicado por primera vez en 1990 por Kingfisher Books

Copyright texto © Michael Berton 1990
Copyright ilustraciones © Ann Winterbotham 1990

Editado por Publicaciones FHER, S.A.
Traducido y adaptado por Araceli Ramos
Impreso en los talleres de Publicaciones FHER, S.A.
Villabaso, 9 - 48002 - Bilbao
PRINTED IN SPAIN

I.S.B.N.: 84-243-2914-7
Depósito Legal: BI-843-91

MIKE BENTON

TODO
SOBRE LOS
DINOSAURIOS

Ilustrado por
Ann Winterbotham

PUBLICACIONES FHER, S. A.
VILLABASO, 9 - BILBAO (ESPAÑA)

Indice

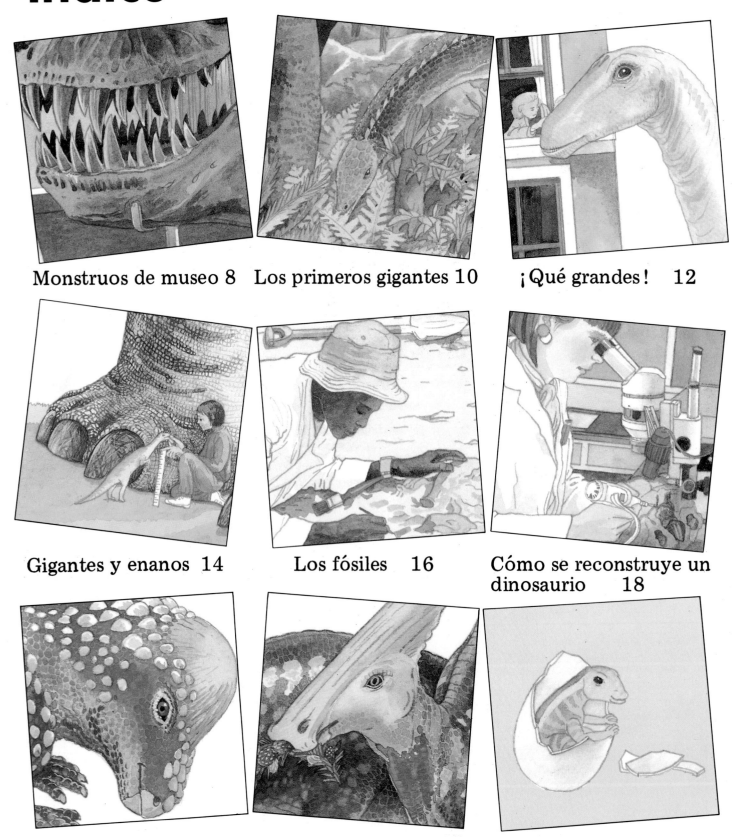

Monstruos de museo

En casi todos los museos de Ciencias Naturales exponen huesos de unos animales gigantescos llamados dinosaurios. En algunos hay incluso esqueletos completos, desde la cabeza hasta la última vértebra de la cola.

La palabra dinosaurio significa "terrible (dino), reptil (saurio)". Los dinosaurios habitaron la Tierra hace muchísimo tiempo, en la actualidad ya no existen.

9

Los primeros gigantes

Coelophysis

Los primeros dinosaurios fueron animales
como el Coelophysis y el Plateosaurio, que
vivieron hace doscientos veinte millones de años.

10

Plateosaurio

Cuando vivían los dinosaurios, la Tierra
presentaba un aspecto bastante distinto del actual.
Hace doscientos veinte millones de años había
otras plantas, otros animales y aún no
existía el hombre.

¡Qué grandes!

La mayoría de los dinosaurios eran de gran tamaño. El Apatosaurio medía veintiún metros de largo, es decir, como tres autobuses juntos. Y era tan alto, que hubiera podido asomarse a las ventanas de un segundo piso.

Otros dinosaurios eran algo más pequeños, del tamaño de un elefante o un rinoceronte.

Y un par de ellos eran realmente pequeños, del tamaño de una gallina.

Busca en el dibujo estos dinosaurios:
- Apatosaurio
- Compsognathus
- Struthiomimus
- Iguanodón
- Stegosaurio
- Triceratops

Stegosaurio

Struthiomimus

Apatosaurio

Iguanodón

Triceratops

Compsognathus

13

Gigantes y enanos

¿Sabes cuál era el dinosaurio más grande y cuál el más pequeño que han existido?

El Compsognathus era el dinosaurio más pequeño que sepamos. Sólo medía sesenta centímetros de largo, de la cabeza a la cola. Su cuerpo tenía el tamaño del de una gallina. ¿Has visto al Compsognathus en la página anterior?

Por supuesto, los dinosaurios recién nacidos eran mucho más pequeños. El Mussaurio, al nacer, no era mayor que un gatito, mientras que el Psittacosaurio era justo del tamaño de una paloma;

Psittacosaurio

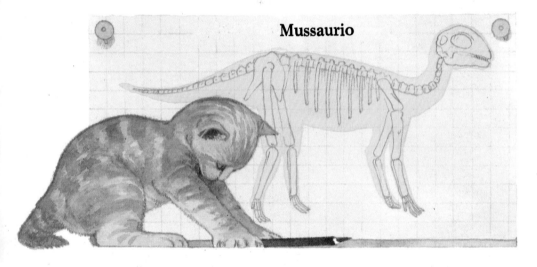

Mussaurio

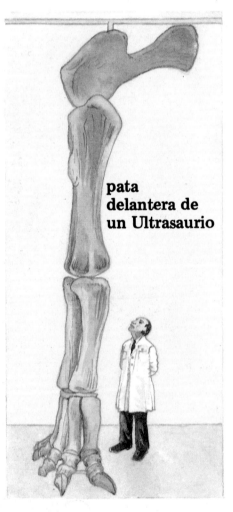

pata delantera de un Ultrasaurio

Durante mucho tiempo, los paleontólogos pensaron que el dinosaurio de mayor tamaño había sido el Braquiosaurio. Madía más de veinte metros de largo y pesaba de setenta a ochenta toneladas, pero en 1979 fue encontrada una pata gigantesca y desde entonces los científicos creen que existieron dinosaurios aún mayores, a los que llaman Ultrasaurios y Supersaurios.

14

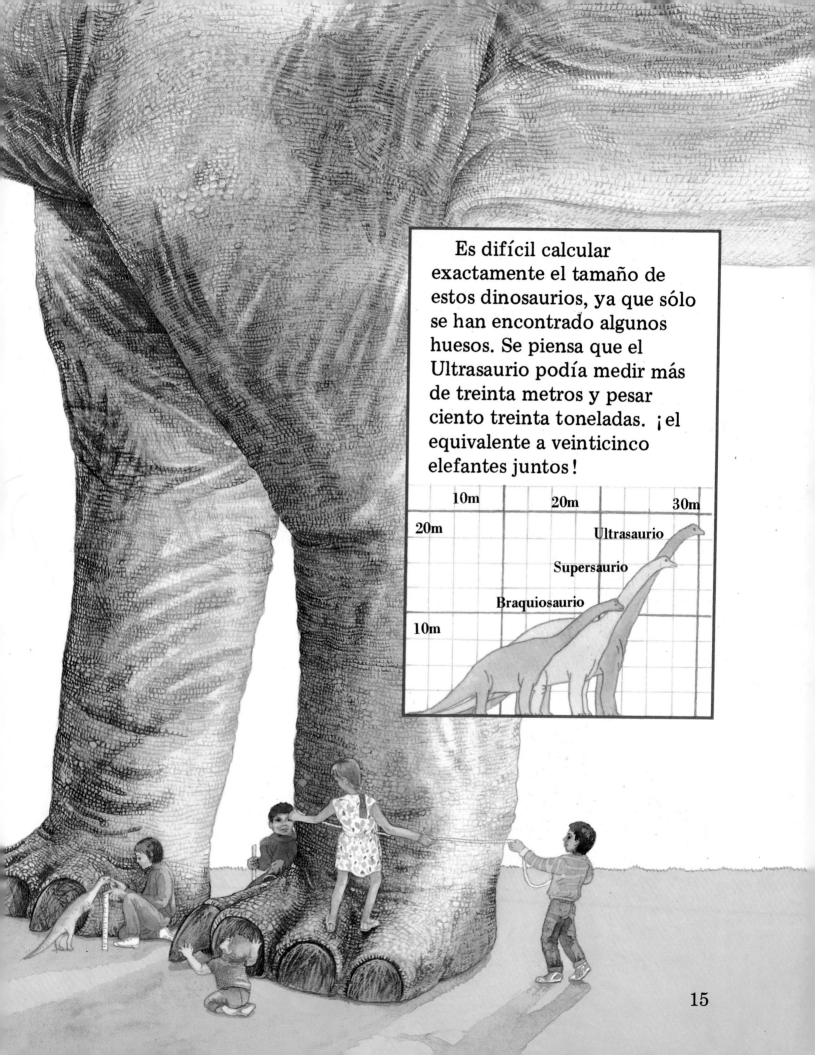

Es difícil calcular exactamente el tamaño de estos dinosaurios, ya que sólo se han encontrado algunos huesos. Se piensa que el Ultrasaurio podía medir más de treinta metros y pesar ciento treinta toneladas. ¡el equivalente a veinticinco elefantes juntos!

Ultrasaurio
Supersaurio
Braquiosaurio

Los fósiles

Se han encontrado huesos de dinosaurio por casi todo el mundo. Conseguir el esqueleto de un dinosaurio es muy complicado, ya que los huesos están incrustados en las rocas y fosilizados. (Los fósiles son restos de animales y plantas que murieron hace millones de años y que se han convertido en piedra, conservándose así entre la roca).

Cuando se encuentra un hueso, un equipo de científicos de una universidad o museo se desplaza hasta el lugar. Los científicos que estudian los fósiles se llaman paleontólogos.

Ellos se encargan de extraer los huesos, para ello, van separando la roca con cuidado, con ayuda de herramientas como cinceles y buriles. También toman fotografías y hacen planos para saber el lugar exacto que ocupaban los huesos.

16

Los fósiles son muy frágiles y se rompen fácilmente. Por eso, los científicos los cubren primero con una tela empapada en escayola húmeda. Al secarse, la escayola se endurece y protege a los huesos.

Una vez protegidos con la escayola, los huesos se etiquetan y se meten en cajas para transportarlos hasta un museo o el laboratorio de una universidad.

Cómo se reconstruye

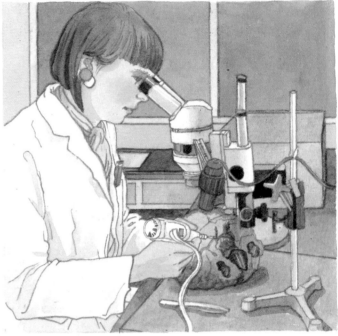

En el laboratorio, los técnicos quitan la escayola que protegía a los huesos sirviéndose de pequeñas sierras eléctricas y de buriles.

Después, limpian cuidadosamente los huesos, a veces con ayuda de un pequeño taladro y de un microscopio. Finalmente, les dan una capa de barniz.

un dinosaurio

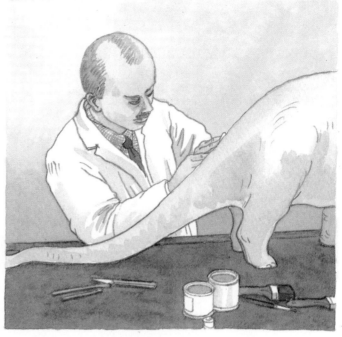

Luego se van uniendo hasta formar un esqueleto. Hay que sujetarlos con un armazón metálico, porque si no se caerían.

A veces, un artista hace un modelo para que se vea cómo era el dinosaurio cuando estaba vivo.

Una vez puesto cada hueso en su sitio, el dinosaurio está listo para ser expuesto en una sala del museo. En la reconstrucción de este Diplodocus trabajaron veinte personas durante tres años.

Pistas

Los fósiles nos proporcionan pistas para conocer mejor a los dinosaurios.

Paquicefalosaurio significa "reptil con la cabeza (céfalo) gruesa (paqui)". Se llama así porque en lo alto de la cabeza tenía una especie de abultamiento formado por un hueso grueso.

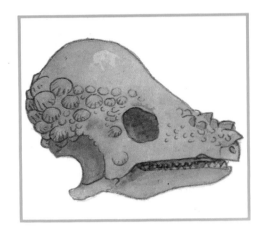

Muchos animales luchan para defender su territorio o para conseguir hembras durante la época de reproducción. Los carneros, por ejemplo, tienen los huesos del cráneo muy gruesos para proteger su cerebro durante las luchas. Quizá los Paquicefalosaurios también luchaban a base de topetazos y por eso necesitaban proteger su cerebro.

Machos y hembras

A veces, los machos y las hembras de una misma especie tienen un aspecto bastante distinto, o se diferencian por su tamaño o color. Probablemente con los dinosaurios sucedía lo mismo.

Los fósiles de los dinosaurios pico de pato muestran que el macho y la hembra se distinguían por la forma del cráneo.

El Parasaurolophus tenía una extraña cresta en la cabeza, que en los machos era mayor en tamaño que en las hembras.

22

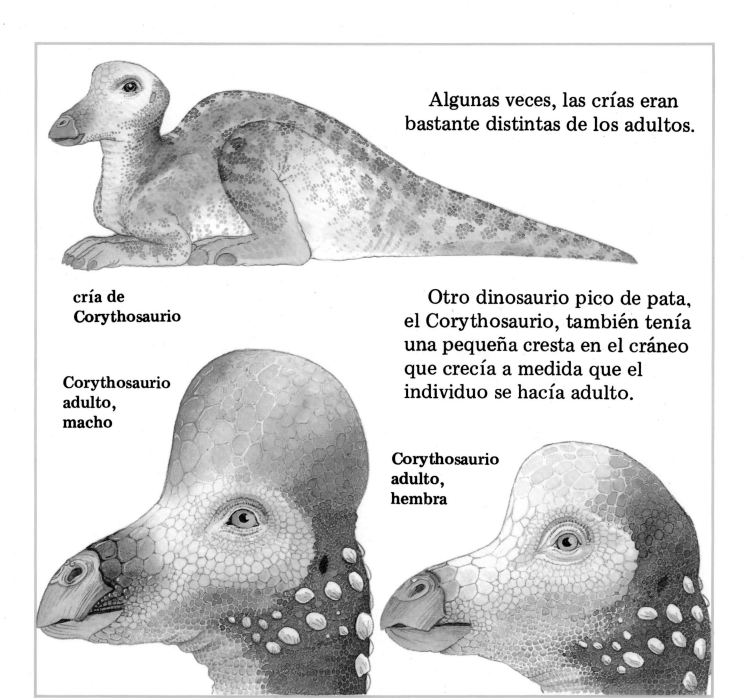

Algunas veces, las crías eran bastante distintas de los adultos.

cría de Corythosaurio

Corythosaurio adulto, macho

Otro dinosaurio pico de pata, el Corythosaurio, también tenía una pequeña cresta en el cráneo que crecía a medida que el individuo se hacía adulto.

Corythosaurio adulto, hembra

Pero hay otras cosas que los fósiles no nos pueden decir. Por ejemplo, ¿de qué color eran los dinosaurios?, ¿qué sonidos emitían?, ¿cómo se comportaban? A veces tenemos que imaginar la respuesta a estas preguntas fijándonos en los animales actuales.

23

Nidos y huevos

Los dinosaurios ponían huevos, al igual que lo hacen los reptiles y las aves. Sabemos bastante sobre los huevos de los dinosaurios, ya que se han encontrado muchos de un dinosaurio pico de pato, el Maiasaurio, que significa "reptil buena madre".

La madre excavaba en la arena un gran hoyo redondo donde ponía de veinte a treinta huevos. Después los cubría con hojas para mantenerlos calientes.

24

Los caimanes actuales también cubren sus huevos con hojas, y así proporcionarles el calor necesario para que nazcan los pequeños.

Es posible que el Maiasaurio también se sentase sobre los huevos para incubarlos, igual que hacen las aves (incluso algunas serpientes incuban los huevos).

Las gallinas incuban los huevos durante veintiún días, al cabo de los cuales nacen los pollitos. Los Maiasaurios ponían huevos más grandes, con un tiempo de incubación mínimo de treinta días.

Los paleontólogos han encontrado huevos fosilizados con los pequeños aún dentro. Se ha visto que éstos crecían hasta los 40 ó 50 centímetros de largo antes de nacer.

Las crías

Los Maiasaurios recién nacidos eran bastante pequeños e indefensos. Sus padres los tenían que proteger de los dinosaurios carnívoros. Quizá también los alimentaban a base de hojas.

Los pequeños crecían muy deprisa. Al año ya
habían triplicado o cuadruplicado su tamaño.
A los cuatro o cinco años ya eran adultos.

Las familias

Se han encontrado huesos de muchos Triceratops juntos, lo que ha hecho suponer a los paleontólogos que estos dinosaurios vivían en grandes grupos familiares —como los elefantes—, desplazándose de un lugar a otro en busca de pastos.

Los Triceratops medían nueve metros de largo y pesaban más de cinco toneladas.

Quizá, cuando se acercaban los dinosaurios carnívoros, los adultos pretegían a sus pequeños formando un círculo en torno a ellos, igual que hacen algunos animales actuales, como los bueyes almizclados.

Los Triceratops tenían un cuerno puntiagudo en la nariz, como los rinocerontes, y otros dos cuernos sobre los ojos. Cuando le atacaba un Tyrannosaurio, el Triceratops bajaba la cabeza y se defendía con los cuernos. El reborde óseo de la parte posterior de la cabeza impedía que el Tyrannosaurio pudiera clavarle los dientes o las garras en el cuello.

Dientes y garras

¿Cómo podemos saber qué dinosaurios eran carnívoros y cuáles se alimentaban de plantas? La respuesta la tenemos en los dientes y en las garras fosilizadas.

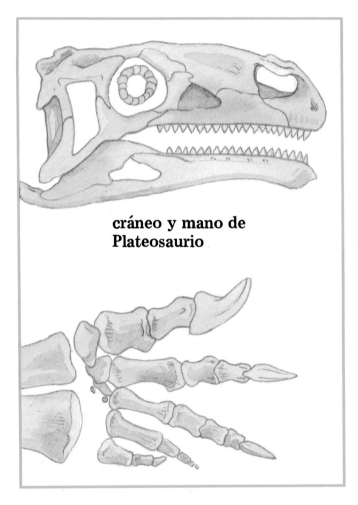

cráneo y mano de
Plateosaurio

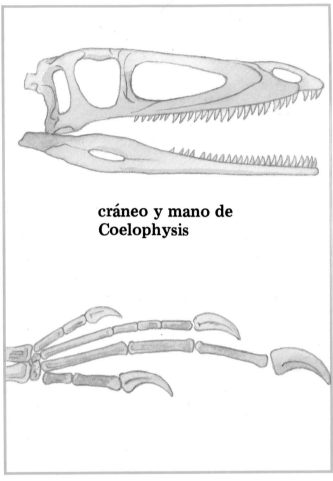

cráneo y mano de
Coelophysis

Algunos dinosaurios, como el Plateosaurio, contaban con dientes pequeños y puntiagudos, para masticar las hojas y las ramitas.

Los herbívoros tenían las patas anchas y planas, con dedos cortos y uñas para arrancar las hojas.

Otros dinosaurios, como el Coelophysis, mostraban dientes largos y curvados, con bordes muy afilados para desgarrar la carne.

Los carnívoros tenían fuertes garras en el extremo de dedos bastante largos, que usaban para atrapar a sus presas.

Uno de los carnívoros más feroces fue el
Deinonychus. Cazaba a sus presas saltando
sobre ellas con sus patas traseras, que estaban
provistas de enormes garras. Después, el
Deinonychus desgarraba la carne con las
manos y los dientes.

Un carnívoro

El Tyrannosaurio Rex, que significa "reptil tirano", fue quizá el dinosaurio carnívoro más aterrador, al tener dientes tan largos como un cuchillo de cocina.

El Tyrannosaurio medía quince metros de largo y más de cinco metros de altura. Usaba sus enormes patas traseras para inmovilizar a su presa mientras le iba arrancando grandes trozos de carne con sus poderosos dientes.
¡Un Tyrannosaurio te hubiera podido comer de un bocado!

Un herbívoro

El Iguanodón se alimentaba de plantas y vivía
en manadas. Cogía las hojas de los árboles
ayudándose con su larga lengua igual que en la
actualidad hacen las jirafas. Después, masticaba
las hojas con sus dientes planos y anchos.

El Iguanodón medía diez metros de largo y
cinco de alto cuando se levantaba sobre sus
patas traseras.

El Iguanodón fue uno de los primeros dinosaurios que se conocieron. Sus restos fueron encontrados en 1882. Los científicos de entonces pensaron que el Iguanodón se parecía al rinoceronte actual y que tenía un cuerno en la nariz. Pero ahora sabemos que lo que se pensaba que era un cuerno, en realidas eran unos "pinchos" que tenía en los pulgares.

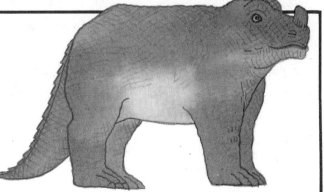

Cómo se defendían

Probablemente el Iguanodón usaba los pinchos de sus dedos pulgares para defenderse de los carnívoros.

Otros herbívoros, como el Apatosaurio, también tenían largas uñas con las que se defendían de los ataques de los carnívoros.

El Diplodocus era el herbívoro más largo. ¡Medía veintisiete metros de la cabeza a la cola!

Cuando le atacaban, el Diplodocus agitaba su cola de un lado a otro como si se tratara de un gigantesco látigo.

Los dinosaurios más pequeños sólo tenían el recurso de salir corriendo cuando se acercaba un peligro.

El Hypsilophodon podía correr a 40 kilómetros por hora, es decir, ¡como un caballo de carreras!

Los paleontólogos pueden calcular lo veloz que era un dinosaurio fijándose en su esqueleto y en las huellas fósiles que han quedado en las rocas.

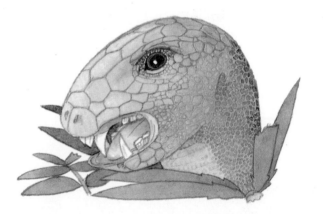

Algunos herbívoros pequeños, como el Heterodontosaurio, tenían colmillos que usaban para morder a sus atacantes.

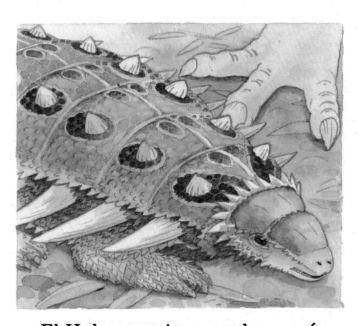

Otros dinosaurios se cubrían con una especie de armadura exterior que les protegía las partes más vulnerables.

El Hylaeosaurio, cuando se veía atacado, se agachaba, de modo que el atacante no podía clavarle los dientes.

Armaduras

El Ankylosaurio medía seis metros de largo y, con su pesada armadura, pesaba diez toneladas o quizá más. ¡Cuando corría, el Ankylosaurio debía parecer un tanque o una excavadora.

El Ankylosaurio era un
herbívoro y se dedicaba
a comer tranquilamente
hojas de arbustos.

Pero cuando se veía
atacado por un
Tyrannosaurio, se
agachaba y agitaba su
pesada cola con gran
fuerza, como si fuera
una maza.

Un dinosaurio misterioso

El Stegosaurio, que significa "reptil tejado", tenía una fila de placas óseas a lo largo de la espalda. ¿Para qué le servían?

Quizá usara las placas como defensa, para protegerse de los ataques de carnívoros como este Allosaurio de la ilustración.

O quizá le sirvieran para regular la temperatura de su cuerpo. Serían como placas solares, que captaban el calor del sol en los días fríos o lo enfriaban cuando hacía calor.

41

¿Qué ocurrió?

Los dinosaurios desaparecieron de la Tierra hace sesenta y seis millones de años, pero no sabemos exactamente la causa.

Hubo un tiempo en que los científicos pensaron que se debió a que los primeros mamíferos se comieron todos sus huevos. Pero, los dinosaurios ponían muchos huevos y éstos eran muy grandes, ¿cómo unos pequeños mamíferos pudieron comérselos todos?

Otra teoría apunta a que el clima se fue haciendo cada vez más frío y los dinosaurios no pudieron soportar los helados inviernos. Pero, los cambios meteorológicos tardan miles o millones de años en producirse, así que ¿por qué no pudieron adaptarse los dinosaurios?

Algunos científicos piensan que quizá cayera sobre la Tierra un gigantesco meteorito de unos diez kilómetros de diámetro. La enorme explosión que produjo al chocar contra la superficie del planeta levantó espesas nubes de polvo que no dejaron pasar durante mucho tiempo los rayos del sol, lo que provocó la muerte y extinción de animales y plantas diversas.

Pero los cocodrilos, las ranas, las aves y los mamíferos no se extinguieron; siguen existiendo en la actualidad.

Nadie conoce la verdadera respuesta.

Dónde se han encontrado sus fósiles

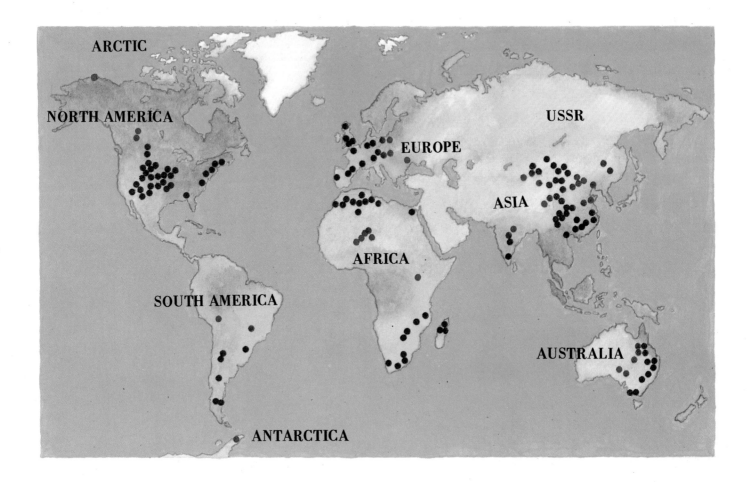

Los puntos en este mapa muestran dónde se han encontrado fósiles de dinosaurio. Con el fin de seguir reuniendo todos los datos posibles sobre estos fabulosos y enigmáticos animales, los científicos continúan su búsqueda por todo el mundo.

Indice de nombres